lauren chil...

Addasiad Cymraeg Elin Me...

Fydda i byth BYTHOEDD yn bwyta tomato gyda Cai a Lois

DREF WEN

Cyhoeddwyd dan nawdd Cynllun Cyhoeddiadau
Cyd-bwyllgor Addysg Cymru

Mae'r llyfr hwn i Soren

sy'n dwlu ar domatos

ond sy'n gwrthod bwyta ffa pob

gyda chariad oddi wrth Lauren

sy'n hoffi Marmite

ond a fyddai'n well ganddi beidio bwyta rhesin

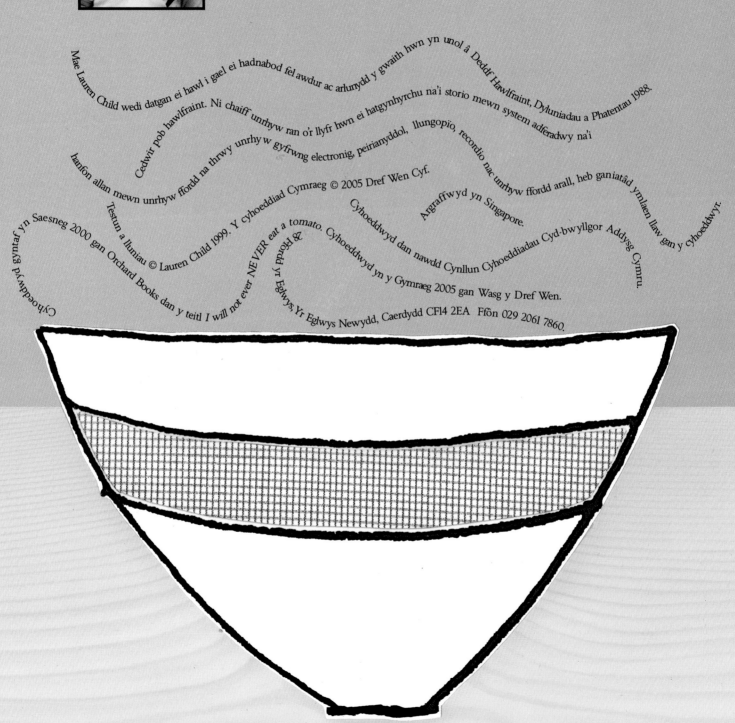

CBAC
WJEC

Mae gen i chwaer fach o'r enw Lois.
Un fechan a doniol iawn yw hi.
Weithiau mae'n rhaid imi gadw llygad arni.
Weithiau mae Mam a Dad yn gofyn imi roi cinio iddi.
Mae hyn yn waith anodd achos wnaiff hi ddim
bwyta popeth.

Wnaiff Lois ddim bwyta moron, wrth gwrs.
Mae hi'n dweud mai bwyd cwningod yw moron.

Dw i'n gofyn, "Wyt ti'n hoffi pys 'te?"

Mae Lois yn ateb,
"Mae pys yn rhy fach
ac yn rhy wyrdd."

Un diwrnod, dyma fi'n chwarae tric da arni hi.

Roedd hi'n eistedd wrth y bwrdd
yn aros am ei swper.
Ac medd Lois,
"Dw i ddim yn bwyta

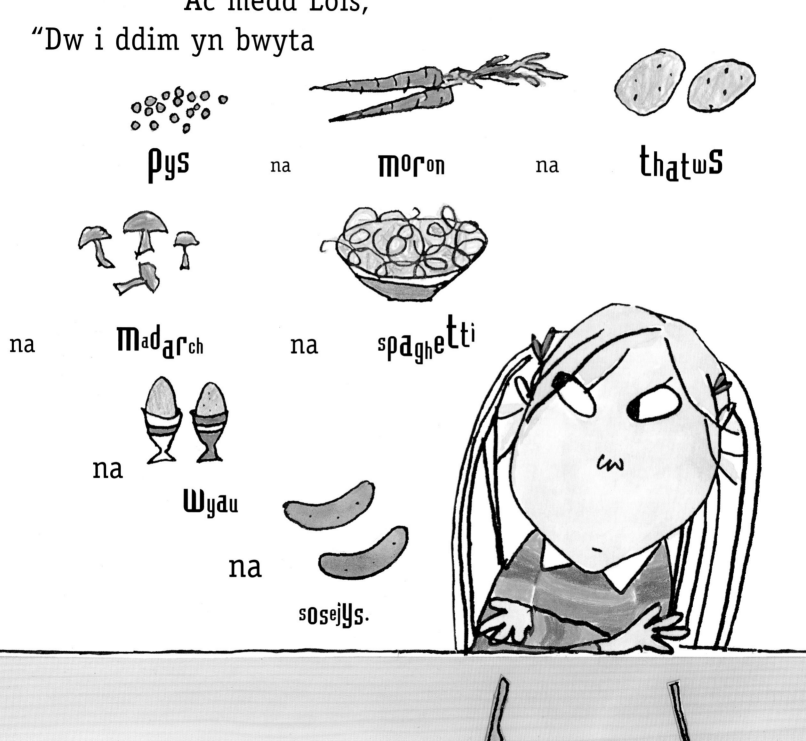

pys na **mⁿoⁿrⁿon** na **thatws**

na **madarch** na **spaghetti**

na **wyau**

na **sosejys**.

Dw i ddim yn bwyta

 blodfresych na  bresych na ffa pob

na bananas  nac orennau.

A dw i ddim yn hoff iawn o

 afalau na  reis na chaws

na

bysedd pysgod.

A

fydda i byth,

byth,

bythoedd

yn bwyta tomato." (Mae fy chwaer yn casáu tomatos.)

A dyma fi'n dweud,
"Wel dyna lwc

achos dydyn ni ddim yn mynd i gael un o'r pethau yna.

Dydyn ni ddim yn mynd i fwyta pys na moron
na thatws na madarch na spaghetti na wyau na sosejys.

Fydd dim blodfresych na
bresych na ffa pob na bananas nac orennau.

"Does dim afalau na reis na chaws na bysedd pysgod

ac **yn sicr** does dim tomatos."

Dyma Lois yn edrych ar y bwrdd.

"Ond pam mae Moron fan hyn, 'te, Cai?

A dyma fi'n dweud,
   "O, rwyt ti'n meddwl mai moron yw'r rhain.
Nid moron yw'r rhain.
   Brigau oren o'r blaned Iau yw'r rhain."

"Ond maen nhw'n edrych yn union fel moron i fi," medd Lois.
   "Ond nid moron ydyn nhw, mae hynny'n amhosibl," meddaf i.
      "Does dim moron yn tyfu ar y blaned Iau."

   "Mae hynny'n ddigon gwir," medd Lois.
      "Wel, fe fwyta' i un i gael gweld
         a ydyn nhw wedi dod yr holl ffordd o'r blaned Iau.
Mmm, ddim yn ddrwg," medd Lois, gan gnoi darn arall.

Wedyn mae Lois yn gweld pys.

"Dw i ddim yn bwyta pys,"

medd Lois.

Dyma fi'n dweud,

"Nid pys yw'r rhain,

wrth gwrs nage pys ydyn nhw,

cesair gwyrdd yw'r rhain

o'r Ynys Werdd.

Maen nhw wedi'u gwneud

o ddarnau o wyrdd

ac yn syrthio o'r awyr."

"Ond dw i ddim yn bwyta pethau

gwyrdd," medd Lois.

"O, da iawn,"

meddaf i.

"Fe gaf i

dy siâr di;

pethau prin

iawn yw

cesair

gwyrdd."

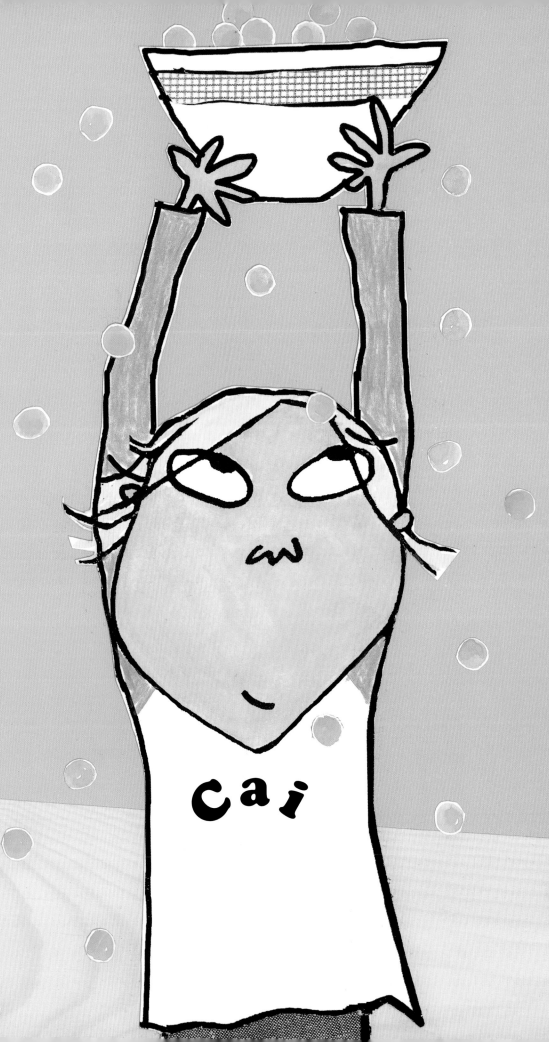

"Wel falle caf i un neu ddau. O," medd Lois, "eithaf blasus, wir."

Nesaf mae Lois yn gweld y tatws.
"Wna i ddim bwyta tatws
felly paid â dechrau,
    dim hyd yn oed tatws Stwnsh."

"O,
nid
stwnsh yw hwn.
Mae pobl yn aml yn
meddwl hynny ond nage,
cymylau cynnes o gopa'r Wyddfa yw e;
cymylau gwyn wedi'u cynhesu'n barod i'w bwyta."
"O wel, os felly, fe gaf i ddwy lwyaid fawr;
dw i'n dwlu ar fwyta cymylau."

"Cai,"
   medd hi,
"maen nhw'n edrych fel **bysedd pysgod** i fi,
a fyddwn i
         byth
   yn bwyta **bysedd pysgod**."

"Dw i'n gwybod hynny, ond nid bysedd pysgod yw'r rhain.
Trysor aur o'r siop o dan y môr
ydyn nhw – hoff fwyd pob môr-forwyn."

"O, dw i wedi bod i'r siop 'na,
un tro gyda Mam.
Ydw, dw i'n gwybod beth ydyn nhw.
Dw i'n credu 'mod i wedi'u cael nhw o'r blaen," medd Lois,
â'i cheg yn llawn. "Oes rhagor ar ôl?"

Ac yna dyma Lois yn dweud,

"Cai, wnei di estyn
un o'r rheina i fi?"

A dyma fi'n dweud,

"Beth, un o'r rheina?"

"Ie, Cai,
un o'r rheina."

A dw i'n methu credu fy llygaid
achos dyfala at beth mae hi'n pwyntio,

y
tomatos.

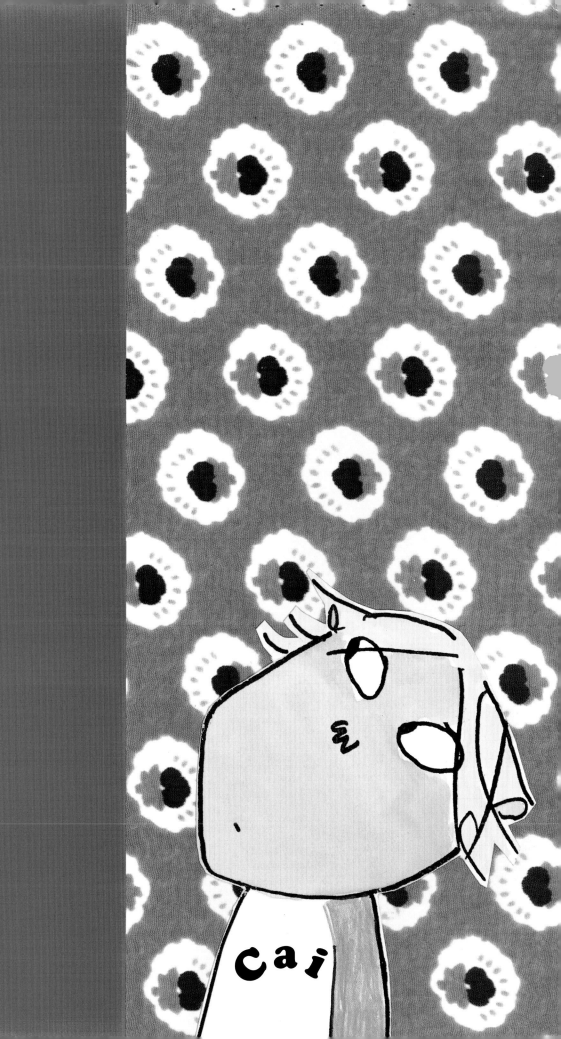

Doeddet ti ddim yn meddwl mai tomatos oedden nhw, oeddet ti, Cai?"